Llyfr

_____

_____

yw hwn

I'n holl fabis!
Jaye, Merlin, Finn, Sorley,
Loki and Poppy

Argraffiad Cymraeg cyntaf: 2001
Cyhoeddwyd gyntaf ym Mhrydain yn 1998 gan Levinson Books,
yn 1999 gan David & Charles Children's Books
ac yn 2001 gan Gullane Children's Books, Winchester House,
259 - 269 Old Marylebone Road, Llundain NW1 5XJ

Testun: ⓗ Tony Bonning 1998 ©
Lluniau: ⓗSally Hobson 1998 ©
Addasiad Cymraeg: ⓗ Gordon Jones 2001 ©

Teitl gwreiddiol: *Another Fine Mess*

Mae Tony Bonning a Sally Hobson wedi datgan eu hawl
yn unol â Deddf Hawlfraint, Dyluniadau a Phatentau 1988
i gael eu cydnabod fel awdur ac arlunydd y llyfr hwn.

ISBN 1 84323 010 0

Dymuna'r cyhoeddwyr gydnabod cymorth Adran Olygyddol Cyngor Llyfrau Cymru.
Cyhoeddwyd gan Wasg Gomer, Llandysul, Ceredigion SA 44 4QL
www.gomer.co.uk

Argraffwyd yng Ngwlad Belg

Sbwriel Sbango

Testun gan
Tony Bonning

Lluniau gan
Sally Hobson

Addasiad gan
Gordon Jones

GOMER

"Post!" gwichiodd Wilma gan guro ar ddrws ffau Sbango Cadno.

Roedd Sbango wedi bod allan yn hela drwy'r nos ac roedd e'n hanner cysgu o hyd. Agorodd y drws a chydio yn y llythyr oedd dan ei drwyn.

"Diolch," meddai'n gysglyd gan faglu'n ôl i'w wely.

Trodd Sbango'r lamp ymlaen a swatio'n glyd i
ddarllen ei lythyr.

'Annwyl Sbango,
Dwi'n dod draw i aros atat ti yn dy
ffau y tro nesa y bydd y lleuad yn llawn.
Cofion, Yncl Em.'

Edrychodd Sbango'n
flinedig ar ei galendr.

"O na!" gwaeddodd
mewn braw. "Mae'r lleuad
yn llawn heno, ac mae'r
ffau yn llawn llanast!"

Aeth i nôl y brwsh llawr a sgubo ym mhob twll a chornel
nes bod tomen o sbwriel y tu allan i ddrws ei ffau.
   "Ble ro' i hwn nawr?" meddyliodd.
   Wrth sgubo'r sbwriel i lawr lôn y bryn,
sylwodd ar dwll mawr.

"I'r dim!" chwarddodd, gan sgubo'r sbwriel
i mewn i'r twll.

Aeth yn ôl i'w ffau
yn teimlo'n falch
ohono'i hun.

Deffrodd Moli Mochyn Daear yn sydyn.

Clywodd GLEC! uchel fel petai
to ei thŷ wedi chwalu'n ufflon.

Neidiodd o'i gwely ac yno, ar lawr
ei stafell fyw, roedd pentwr mawr
o sbwriel!

Roedd Moli'n wyllt gacwn.

"O ble daeth yr hen sbwriel 'ma?"

Cydiodd mewn ysgub a sgubo'r sbwriel allan
o'i chartref, drwy'r goedwig ac yn syth
i mewn i dwll dwfn.

"Dyna welliant", meddai Moli,
ar ôl i'r sbwriel fynd o'r golwg.

Ar fin bwyta'u salad roedd cwningod Tŷ Bwni
pan ddisgynnodd y sbwriel SBLAT!
ar eu platiau.

Am fraw!

"Ych! Am gawdel!" gwaeddodd y plant.
"Fy letys blasus i!" llefodd Mami Cwningen.
"Pawb i afael mewn brwsh!" meddai Dadi Cwningen.

Aeth holl deulu Tŷ Bwni ati i sgubo'r sbwriel a'r bwyd
oddi ar y bwrdd. Allan o'r drws â nhw ac i fyny'r bryn.

Daeth Dadi Cwningen o hyd i bentwr o wair a brigau.
"Lle perffaith i guddio sbwriel," cytunodd pawb,
cyn troi am adre i lenwi eu boliau.

Bu bron i Pat Petrisen lewygu pan welodd ei nyth newydd sbon yn llawn sbwriel.

"Pwy wnaeth hyn?" gwichiodd yn ddig.
"Sut all bobl fod mor anniben?"

Gwnaeth Pat ysgub o frigau a sgubo'r
sbwriel o'i nyth.

Gwelodd dwll handi gerllaw, ac aeth pob
mymryn ohono i mewn.

Brysiodd yn ôl i'w nyth i ddodwy
wyau newydd.

Wrthi'n rhuthro drwy'i dwnel oedd
Gwyn Gwahadden pan laniodd y sbwriel
yn B L W M P! ar ei ben.

"Mawredd mawr! Beth ddisgynnodd i lawr?"
llefodd Gwyn gan dynnu bocs oddi ar ei drwyn.

"Mas â'r hen stwff brwnt!" gwaeddodd Gwyn
pan wyntodd y drewdod.

Gwthiodd y sbwriel allan o ddrws ei dwnnel,
a throdd yn ôl i olchi ei bawennau.

Rholiodd y sbwriel

CLEC! BWM! BING! BONG!

i lawr y bryn, a glanio wrth draed Yncl Em
oedd ar ei ffordd i ffau Sbango.

"Wel am smonach go iawn!"
medddai Yncl Em.

Casglodd y sbwriel i gyd a'i ollwng yn un
pentwr mawr y tu allan i ddrws Sbango.

"Edrych ar yr holl sbwriel hyll oedd ar lôn y bryn!"
cwynodd Yncl Em pan agorodd Sbango'i ddrws.

"O na!" wylodd Sbango mewn dychryn,
gan weld fod ei hen sbwriel yn ei ôl.

Roedd Sbango ar fin awgrymu taflu'r cyfan
i'r un twll ag o'r blaen, pan ddaeth llygod
Cwm Caws i'r golwg.

"Waw!" gwaeddodd Mami Llygoden.
"Pwy fyddai mor ddwl â thaflu'r fath
drysorau?"

"Cymerwch pob dim, â chroeso,"
meddai Sbango'n llawen, gan arwain
Yncl Em i'w ffau lân.

"Trueni na fyddai pawb
yn ein teulu ni mor daclus
â ti," meddai Yncl Em, wrth
iddo edrych o'i gwmpas .

"Dwi'n gwneud fy ngorau glas," meddai
Sbango, gan wenu'n gyfrwys.